Свен Нурдквист

РОЖДЕСТВО
В ДОМИКЕ ПЕТСОНА

Перевод со шведского Виктории Петруничевой

Sven Nordqvist

PETTSON FÅR JULBESÖK

МОСКВА 2014

Наконец-то потеплело! Уже несколько дней Петсон собирался сходить в магазин, но было очень холодно, и он не решался выйти на улицу. И вот скоро уже рождественский сочельник, а в доме почти не осталось еды. Надо обязательно купить продукты сегодня, ведь завтра магазины будут закрыты.

А ещё надо срубить ёлку, испечь имбирное печенье, навести порядок в доме...

Котёнок Финдус уже нашёл подставку для ёлки и теперь смотрит в щёлку двери и ждёт, когда хозяин выпустит его наружу.

— Петсон! — кричит Финдус. — Пошли в лес за ёлкой!

Несколько недель назад Петсон с Финдусом уже сходили в лес и присмотрели себе хорошенькую ёлочку. Но она росла довольно далеко от их дома.

— За ёлкой мы можем сходить и попозже, — говорит Петсон. — Сначала нам надо в магазин. Но самое главное — мы должны расчистить снег.

Они вышли во двор, и Петсон стал расчищать дорожки к курятнику и сараям.

— Думаю, нам стоит принести еловых веток и выложить ими лестницу, — предложил котёнку хозяин. — Ты пойдёшь со мной, Финдус?

— Лучше я поеду! — ответил котёнок.

Через секунду он уже был в сарае, где лежали топор и санки.

Петсон медленно шёл по глубокому снегу и вёз за собой Финдуса. Когда они поднялись на холм за сараем, Петсон нарубил веток и сложил их на санки. Пора было спускаться обратно. Вдруг Петсон поскользнулся и упал прямо на санки. Они покатились, и через мгновение Петсон на огромной скорости мчался вниз.

Под горкой он наткнулся
на каменный забор, санки
перевернулись, и Петсон
оказался в снегу. Котёнок
подпрыгнул от восторга
и воскликнул:
— Давай ещё раз!
Но Петсон только застонал
в ответ и попытался выбраться
из сугроба. Похоже, ему было
совсем не так весело, как
Финдусу.
— Ой-ой-ой, как больно, —
пожаловался хозяин котёнку. —
Я даже не могу наступить на ногу.
Пока Петсон ругал санки,
горку и забор, Финдус
размышлял, как помочь
хозяину. Но он ничего не смог
придумать и только сказал:
— Нехорошо так злиться в канун
Рождества.

С большим трудом Петсон добрался до домика, сел на стул и принялся осматривать ногу.

— Вот беда, — вздохнул он. — Надеюсь, это пройдёт раньше, чем закроются магазины. Иначе мы останемся без рождественского ужина. А нам ведь ещё столько всего надо успеть… Принести ёлку и вымыть пол на кухне…

— Ур-р-ра! — завопил Финдус. — Я хочу мыть пол!

Через секунду котёнок принёс ведро и щётку. Петсон хорошо помнил, как это происходило в прошлый раз.

— Ну мой, так уж и быть, — с сомнением сказал он. — Только вытри потом всё как следует.

— А как же, — пообещал котёнок. — Но сначала мне нужно очень много воды.

Петсон налил в ведро тёплой воды и добавил в неё мыла.

— Подожди! — воскликнул он.

Не успел Петсон забраться на диван, как Финдус уже перевернул ведро и вылил всю воду на пол. Потом котёнок вскочил на щётку и начал кататься по «Кухонному заливу». Финдус был настоящим мастером катания на щётках! Он умел удерживаться на одной лапе и делать такие крутые виражи, что брызги долетали до двери.

Через пять минут Финдус еле дышал от усталости.

— Готово, — выдохнул он и заполз на стул.

— Ничего подобного, малыш, — сказал Петсон. — Ты ещё не закончил уборку. Сегодня тебе придётся самому собрать воду и вытереть пол. Я не могу этого сделать с больной ногой.

— Но ты же можешь встать на четвереньки. Я так устал, я всего лишь маленький котёнок, — захныкал Финдус.

— Я постараюсь помогать тебе мысленно, — заверил его хозяин. — Тряпка висит под раковиной. Когда ты всё уберёшь, мы будем печь печенье.

Уже совсем стемнело, когда Финдус бросил тряпку на пол и запрыгнул на стол.

— Вот теперь готово! Проснись, Петсон! Пора печь печенье! — громко крикнул котёнок, потому что хозяин задремал на диване.

Неделю назад они пекли печенье, но оно уже всё закончилось. Зато в чулане оставалось тесто. Так думал Петсон. Но когда он достал миску, оказалось, что в ней лежит только маленький комочек.

— Каким оно стало маленьким, — удивился Петсон.

— С тестом постоянно случаются странные вещи, — объяснил котёнок. — Иногда оно неожиданно исчезает.

— А может, здесь просто побывал какой-нибудь котёнок и всё слопал? — предположил Петсон.

— Может быть, — согласился Финдус. — А может быть, это был хозяин
    какого-нибудь котёнка?

— Может, и так, — ответил хозяин.

Петсон всё-таки раскатал на столе комочек теста. Финдус вырезал формочкой
из теста фигурки, а остатки съел. Фигурок получилось немного — всего несколько штук.

Потом Петсон с Финдусом молча пили кофе и смотрели на свои отражения в окне.
На улице было совсем темно, а на кухне совсем тихо. Такая тишина наступает, когда
что-то не получается сделать так, как хотелось. Обычно перед Рождеством в домике
Петсона бывает очень уютно: Петсон с Финдусом наводят порядок, наряжают
ёлку и готовят праздничный ужин. А теперь им приходится сидеть и ждать, когда
же у Петсона перестанет болеть нога.

— Похоже, сегодня мы не сможем дойти до магазина. А завтра он закрыт. Значит, останемся мы в этом году без рождественского ужина, — огорчённо сказал Петсон.

— Ты что говоришь?! — воскликнул Финдус. — Остаться на Рождество без ужина? Без рисовой каши? Без ветчины? Без рыбы? Без маленьких колбасок?..

— Ну совсем без еды мы не останемся — у нас есть морковка и банка сардин. Можем сварить яйца, а на Пасху тогда будем есть ветчину.

— О-о-о-о-о-й! Морковка на Рождество!!! — застонал котёнок.

— Не ной, — прервал его хозяин. — Ничего страшного. Подарок ты обязательно получишь.

Финдус перестал стонать и уставился на Петсона.

— А что за подарок? — спросил он.

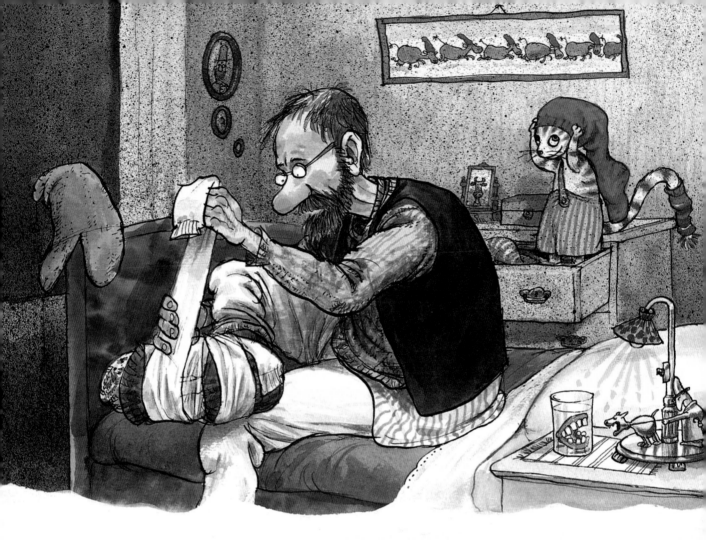

— Завтра увидишь. А сейчас я забинтую ногу и пойду спать.

Петсон надел на больную ногу два шерстяных носка, поверх них намотал свитер и всё это обвязал верёвкой. Получилась толстая повязка, и Петсон стал похож на настоящего больного.

Когда хозяин лёг спать, Финдус остался на кухне совсем один. Он смотрел на хлопья снега за окном и думал: «Разве таким должен быть рождественский сочельник? Это самый несчастливый день в моей жизни. Хуже, чем любой обычный вторник. Но всё равно я должен подарить что-то Петсону». И котёнок убежал за подарком. Он принёс из сарая нож для чистки картошки, завернул его в платок и завязал шнурком. Стало немного веселее.

На следующее утро Петсон снова попробовал встать на больную ногу.
Она всё ещё болела, но уже не так сильно.

— Дня через два пройдёт, — сказал он. — Но за ёлкой мы сегодня сходить не сможем.

— Чт-о-о-о?!! — завопил Финдус. — У нас не будет рождественской ёлки? Какое же это
тогда Рождество?

— Ну, подождём немного, — попытался успокоить котёнка хозяин. — Может, к вечеру мне
станет лучше.

Но сам он не очень-то верил, что нога пройдёт так быстро.

Петсон варил овсяную кашу и думал, как бы ему развеселить Финдуса. Видно было,
что котёнок совсем расстроился — он сердито набивал подставку для ёлки морковкой.

Завтрак прошёл в тишине. В доме не осталось даже молока для каши.

Вдруг раздался стук в дверь и в кухню заглянул соседский сын Аксель Густавсон.

Он часто заходил к Петсону, чтобы помочь расчистить снег или сделать какую-нибудь другую тяжёлую работу.

— С Рождеством вас! — сказал Аксель. — Я собирался помочь тебе убрать снег, но ты уже сам всё сделал.

И тут он заметил, что у Петсона забинтована нога.

— Что это с тобой?

— Поскользнулся, упал... — И Петсон рассказал Акселю, что произошло в лесу.

— Эдак тебе придётся просидеть дома все праздники, — сочувственно сказал Аксель. — Как же вы будете праздновать Рождество?

— Ну, я думаю, всё будет в порядке, — пробормотал Петсон. Этого Финдус не мог стерпеть! Он стал подпрыгивать, как крышка кипящего чайника. Вверх-вниз, вверх-вниз...

— Ничего у нас не будет в порядке, — шипел котёнок. — В доме ни крошки еды — одна только морковка, нет ни печенья, ни рыбы! Ёлки нет, дрова вот-вот кончатся, да и подарков наверняка не будет!

— Ну же, Финдус, не шуми, — попытался успокоить котёнка хозяин. — Конечно, мы справимся.

Жаль только, что молоко у нас закончилось и мы не можем сварить рисовую кашу. И дрова... Если тебе не сложно, Аксель, ты не мог бы наколоть немного дров?

Аксель не только наколол полный сарай дров, но и обещал принести Петсону молоко.

Финдус по-прежнему ходил грустный. Он сидел в углу комнаты мрачнее тучи и пытался вместо морковок засунуть в подставку для ёлки бревно.

— Я придумал, как нам сделать ёлку! — воскликнул Петсон.

Котёнок удивлённо посмотрел на хозяина:

— Разве можно сделать ёлку?

Оказывается, можно. Петсон объяснил, что для этого понадобится. Финдус выбежал на улицу и через несколько секунд вернулся с еловыми ветками, которые они нарубили в лесу. Потом он сбегал в сарай и принёс длинную палку и сверло.

Петсон просверлил в палке много маленьких дырочек, закрепил её в подставке для ёлки и поставил к окну.

Потом Петсон с Финдусом принялись вставлять ветки в дырочки. Ёлка получилась, почти как настоящая.

— Теперь давай её наряжать, — предложил Петсон. — В ящике под кроватью должны быть игрушки.

— Может быть, они и *должны* быть там, но на самом деле игрушки лежат на чердаке, — возразил котёнок.

— На чердаке?! Но я же не смогу подняться туда с больной ногой! А ты не сумеешь сам открыть дверь!

— Ящик об этом не подумал. Он просто стоит себе на чердаке, и всё, — ответил Финдус.

— Придётся обойтись без него. — Петсон задумался. — Сходи-ка в сарай и принеси что-нибудь красивое: красное, блестящее... А я пороюсь в доме.

— Уже бегу, — сказал котёнок и выскочил за дверь.

Петсон тем временем осмотрел все
шкафы и ящики. Кое-что ему удалось
найти: несколько ложек, градусник, часы,
фарфоровую корову, игрушечную обезьянку
и всякую всячину.

Финдус принёс стружки, фару
от велосипеда, малярную кисть, пружину
и ещё кое-какие мелочи, которые показались
ему подходящими для украшения ёлки.

Потом Петсон привязал ко всем этим вещицам
красные ленточки, сделал несколько ёлочных игрушек
из страниц цветного журнала и скрутил из проволоки
подсвечники для свечей. Всё это котёнок повесил
на ёлку.

Тут в дверь снова постучали — это Аксель принёс молоко. Следом вошла жена Густавсона — Эльза. В руке у неё была корзина.

— С праздником, Петсон, — сказала Эльза. — Аксель рассказал, что у тебя совсем не осталось еды, и мы решили принести тебе кое-чего. Как твоя нога?

— Уже получше, — ответил Петсон. — Вы так добры, ой, сколько тут всяких гостинцев...

Он был немного смущён, но корзинку всё-таки взял.

— Проходите в комнату, — предложил Петсон. — Я приготовлю кофе. Больше угостить мне вас нечем.

— А вот и угощение. — Эльза достала из корзины кусок ветчины, студень, капусту, тефтельки, хлеб, кастрюлю с бульоном, печенье, бутылки с напитками и клёцки.

Петсон был растроган. Он смотрел на все эти яства и не знал, как отблагодарить Эльзу и Акселя.

— Да не стоило... Вы столько всего принесли... — бормотал Петсон. — Огромное вам спасибо...

— На здоровье, — ответила Эльза. — А теперь мы можем попить кофе с печеньем.

Чуть позже пришёл и сам Густавсон. Он сказал, что хотел одолжить у Петсона газовую горелку, но на самом деле ему просто было любопытно посмотреть, как сосед празднует Рождество.

Все уселись вокруг стола и стали слушать рассказ Петсона о том, как он съехал с горы.

Когда Густавсоны уже собрались уходить, они увидели, что к дому идёт госпожа Андерсон и у неё с собой тоже корзинка.

— С Рождеством, Петсон! — сказала госпожа Андерсон, входя в дом.

Она стряхнула с себя снег в коридоре и рассказала, что узнала о больной ноге Петсона и решила принести ему немного рыбы и колбасы.

Петсон поблагодарил её и предложил кофе.

— Ах, какую аппетитную колбасу принесла госпожа Андерсон, — сказала Эльза. — Уж не сломать ли и мне ногу?

И Густавсоны остались еще ненадолго, чтобы отведать колбасы.

Потом все принялись за бульон, и вдруг пришли соседи Линдгрены. Все стали поздравлять друг друга и желать счастливого Рождества. Оказалось, что Андерсон рассказал Линдгренам про неприятности Петсона и они тоже решили проведать его и принесли немного еды.

Петсон снова кланялся, благодарил, угощал всех кофе и печеньем, которое испекла Анна. А потом пришли Юнсоны и дети Нильсона, у них тоже были с собой корзинки с едой, потому что все слышали, что Петсон сломал ногу и сидит теперь в своей избушке, мёрзнет, голодает и не может даже пошевелиться. Столько гостей не собиралось в домике Петсона уже очень давно — с тех пор как ему исполнилось шестьдесят лет.

Финдус считал, что все эти старички слишком много говорят и слишком мало играют. Ему пришлось демонстрировать свои самые лучшие трюки, чтобы на него обратили внимание. Поэтому когда пришли дети, он тут же повёл их любоваться

ёлкой. Котёнок развесил украшения совсем низко, потому что не смог дотянуться до верхних веток. Дети помогли ему перевесить игрушки повыше.

— Посмотрите, какую ёлку нарядили Финдус с Петсоном! — позвали дети взрослых. — Они её сами сделали.

Тогда все гости пошли в гостиную и воскликнули в один голос:

— Вот это да, какая необыкновенная ёлка! Надо же такое придумать! Ты очень умный котёнок, Финдус!

Петсон и Финдус были совершенно с ними согласны.

Но вот Густавсоны стали собираться домой, и постепенно все гости разошлись.

Петсон смотрел в окно вслед гостям и слушал, как их разговор затихает вдали. С неба падали крупные хлопья снега.

Когда все ушли, в домике стало тихо и обычно. И всё-таки не совсем обычно, а даже лучше.

Стемнело. Петсон и Финдус зажгли свечи, которые сделали дети, и накрыли на стол. Такого замечательного рождественского ужина у Петсона и Финдуса не было ещё никогда.

После этого они пошли в гостиную, зажгли свечи на ёлке и поздравили друг друга.

Финдус получил в подарок игрушку — йо-йо, а Петсону достался свёрток с ножом для чистки картошки. Потом они сидели в кресле, слушали радио и смотрели, как в печке пляшет огонь. Петсон был счастлив.

— Какое удивительное Рождество получилось у нас в этом году, — сказал он котёнку. — Сначала мы собирали ёлку, затем украшали её чайными ложками, и вдруг столько гостей и так много угощений! У нас такие замечательные соседи!

Финдус ничего не ответил. Он уснул. Но ему тоже наверняка понравился их праздник. Во всяком случае, во сне он улыбался.

УДК 821.113.6-93
ББК 84(4Шве)
Н90

Для детей младшего школьного возраста

Свен Нурдквист

РОЖДЕСТВО В ДОМИКЕ ПЕТСОНА

Иллюстрации автора

Перевод Виктории Петруничевой

Главный редактор Ксения Коваленко
Директор издательства Татьяна Кормер

ООО «Издательство Альбус корвус»
info.albuscorvus@gmail.com
https://www.facebook.com/AlbusCorvus.books
Подписано в печать 21.10.2013
Формат 60x90/8. Усл. печ. л. 3,0
Тираж 5000

ISBN 978-5-906640-03-1

Отпечатано в типографии «PNB Print», Латвия
www.pnbprint.eu

СЕРИЯ КНИГ О СТАРИКЕ ПЕТСОНЕ И ЕГО КОТЁНКЕ ФИНДУСЕ

ОХОТА НА ЛИС

ПЕРЕПОЛОХ В ОГОРОДЕ

МЕХАНИЧЕСКИЙ ДЕД МОРОЗ

ПЕТСОН ГРУСТИТ

ЧУЖАК В ОГОРОДЕ

ПЕТСОН ИДЁТ В ПОХОД

ИМЕНИННЫЙ ПИРОГ

ИСТОРИЯ О ТОМ, КАК ФИНДУС ПОТЕРЯЛСЯ, КОГДА БЫЛ МАЛЕНЬКИЙ

ГОТОВИМ ВМЕСТЕ С ПЕТСОНОМ И ФИНДУСОМ

скоро! →

ФИНДУС ПЕРЕЕЗЖАЕТ

Песенник Петсона и Финдуса